Sophie NicIain: Eòlaiche Aon-adharcaich

Do: Anna agus Flora - MH

Do mo theaghlach: SE, HC, PA, OJ - EO

A’ chiad fhoillseachadh sa Bheurla 2018 le Simon & Schuster
A’ chiad Ìàr, 222 Rathad Gray’s Inn, Lunnainn, WC1X 8HB Companaidh CBS

 10 9 8 7 6 5 4 3 2 1

A’ chiad fhoillseachadh sa Ghàidhlig ann an 2019 le Acair, An Tosgan, Rathad Shìophoirt, Steòrnabhagh, Eilean Leòdhais HS1 2SD

info@acairbooks.com www.acairbooks.com

An tionndadh Gàidhlig le Doileag NicLeòid An dealbhachadh sa Ghàidhlig le Mairead Anna NicLeòid

Tha Acair a’ faighinn taic bho Bhòrd na Gàidhlig.

Gheibhear clàr catalog CIP airson an leabhair seo ann an Leabharlann Bhreatainn.

Clò-bhuailte ann an Sìona LAGE/ISBN 978-1-78907-039-2

OSCR
Scottish Charity Regulator
www.oscr.org.uk
Registered Charity
SC047866

Riaghladair Carthannas na h-Alba

Carthannas Clàraichte/
Registered Charity SC047866

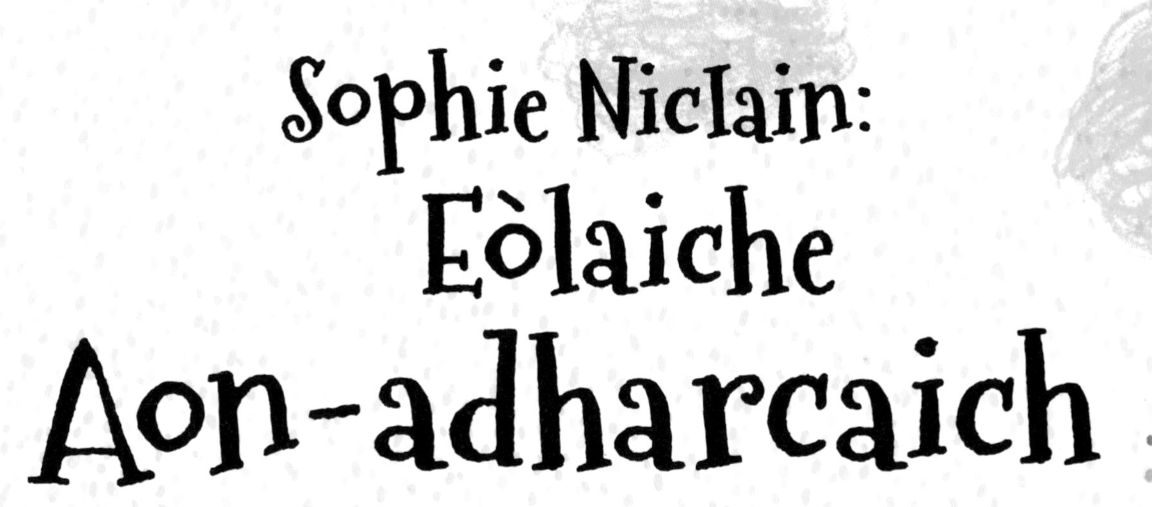

Sophie NicIain: Eòlaiche Aon-adharcaich

Morag Hood agus Ella Okstad

Is mise
Sophie NicIain
agus tha mi a’ fuireach còmhla ri
aon-adharcach.

THA
AGAM AIR
AON-ADHARCAICH

Uill, chan e aon a-mhàin.

Tha mi a' smaoineachadh
gu bheil 17 agam
an-dràsta.

'S e obair chruaidh a th' ann
a bhith a' coimhead às dèidh
na tha sin.

Chan eil mi uair sam bith nam thàmh.

Ach, 's math dhaibhsan gur e eòlaiche aon-adharcaich a th' annam.

Tha mi trang a' teagasg nan aon-adharcach gach rud air am feum fios a bhith aca.

Tòisichidh sin le DRAOIDHEACHD.

AON-ADHARCAICH
AON-ADHARCACH

An uair sin seallaidh mi dhaibh mar a bhios iad ri sealg airson biadh . . .

. . . mar a dh'aithnicheas iad
aon-adharcaich eile agus
tha mi gan teagasg mu
chunnartan bho . . .

BHAILIÙNAICHEAN!

Uaireannan bidh na h-aon-adharcaich agam a' call nan adharcan.

Ach cha dèan sin dragh dhòmhsa,

oir fàsaidh iad air ais gu math luath.

Chan eil e furasta a bhith a' fuireach còmhla ri aon-adharcaich.

Chan eil iad sgiobalta.

Bidh mi ag innse dhaibh gu bheil draoidheachd
nas cudromaiche na ùpraid,

ach chan eil mi a' smaoineachadh gu bheil
Mam a' tuigsinn sin.

Tha mòran nàimhdean aig aon-adharcaich,

mar sin,

feumaidh mise a bhith gan dìon.

Chan eil e cho furasta 's a shaoileadh tu
a bhith nad eòlaiche aon-adharcaich.

Nach math gu bheil mo leithid ann.

Chan eil fhios aig cuid de dhaoine cò ris a tha **FÌOR** aon-adharcach coltach!

Le sin, cuiridh iad feum ormsa –
Sophie NicIain, Eòlaiche Aon-adharcaich.